Gianfranco Rugg[...]

DAS PANTHEON

Editoriale Museum

Fotos: Luciano Pedicini
Titelbild: SCALA Ist. Fot. Ed.
Illustration: Soprintendenza ai Beni Ambientali e Architettonici del Lazio
Deutsches Kunsthistorisches Institutes Hertziana
Übersetzt von: Eva Maria Kallinger
© Editoriale Museum, Rom, 1990
2. Neuauflage, 1994

GESCHICHTE

Die Suche nach einem Ort, der einer gemeinschaftlichen Nutzung entzogen und vollständig der Göttlichkeit gewidmet werden konnte, durchzieht die Kultur der Antike. In diesem geweihten Ort sollte der Mensch eine enge wechselseitige Beziehung zur Gottheit herstellen beziehungsweise erneuern können. Eine der bedeutendsten Stätten dieser Art hat sich in der Urbe Rom dort herausgebildet, wo sich zwei kleine Flüsse schneiden: *Acqua Sallustiana* und *Amnis Petronia*.

Diese orohydrographische und geologische Lage verusachte ausgedehnte Sümpfe zwischen den Hügeln Quirinal, Kapitol und dem Ostufer des Tiber.

Im Mittelpunkt dieses sumpfigen Gebiets, als *Palus Caprae* bezeichnet, wurde dem Mythos zufolge der heldenhafte Gründer Roms vom Kriegsgott Mars gebracht. Zunächst entstand an der Stelle in Erinnerung an das Ereignis ein Hügelgrab. In augusteisischer Zeit, als die Renaissance der Antike eine große Rolle spielte, wurde hier ein Tempel errichtet. Marcus Agrippa ordnete 27 v. Christus dessen Bau in rechteckiger Form an mit Eingang im Süden, ganz nach etruskischer Tradition, die Grabstätten gegen Süden ausrichtete.

Bei der von Kaiser Hadriam veranlaßten Neugestaltung des Denkmals 120 n. Chr. nach zwei Bränden wurde die vorausgegangene Ausrichtung umgekehrt. Auf dem Architrav der Vorhalle brachte man die bronzene Inschrift für den ersten Gründer an:

M. AGRIPPA L. F. COS. TERTIUM FECIT

(Marcus Agrippa, Sohn des Lucio, zum dritten mal Konsul, errichtete)

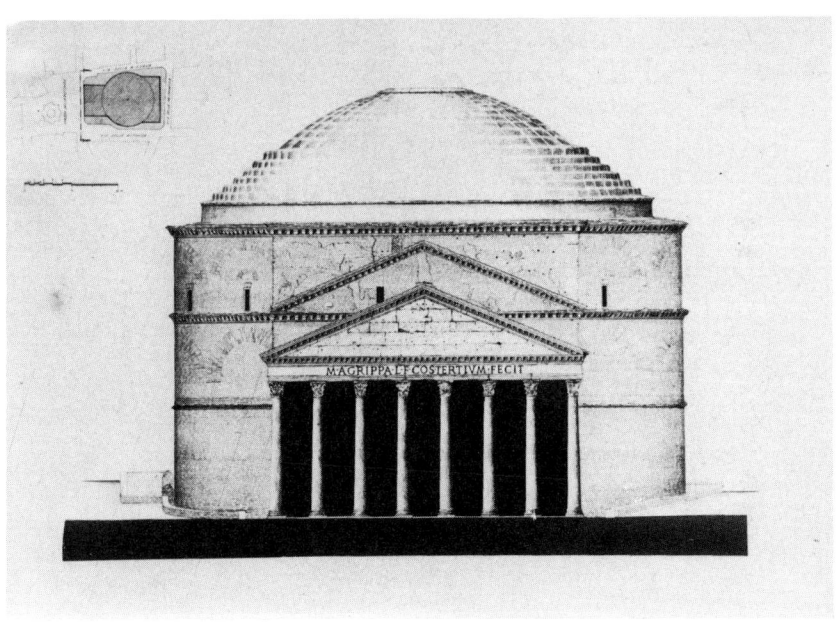

1. Prospekt des Pantheon, Soprintendenza ai Beni Ambientali e Architettonici del Lazio.

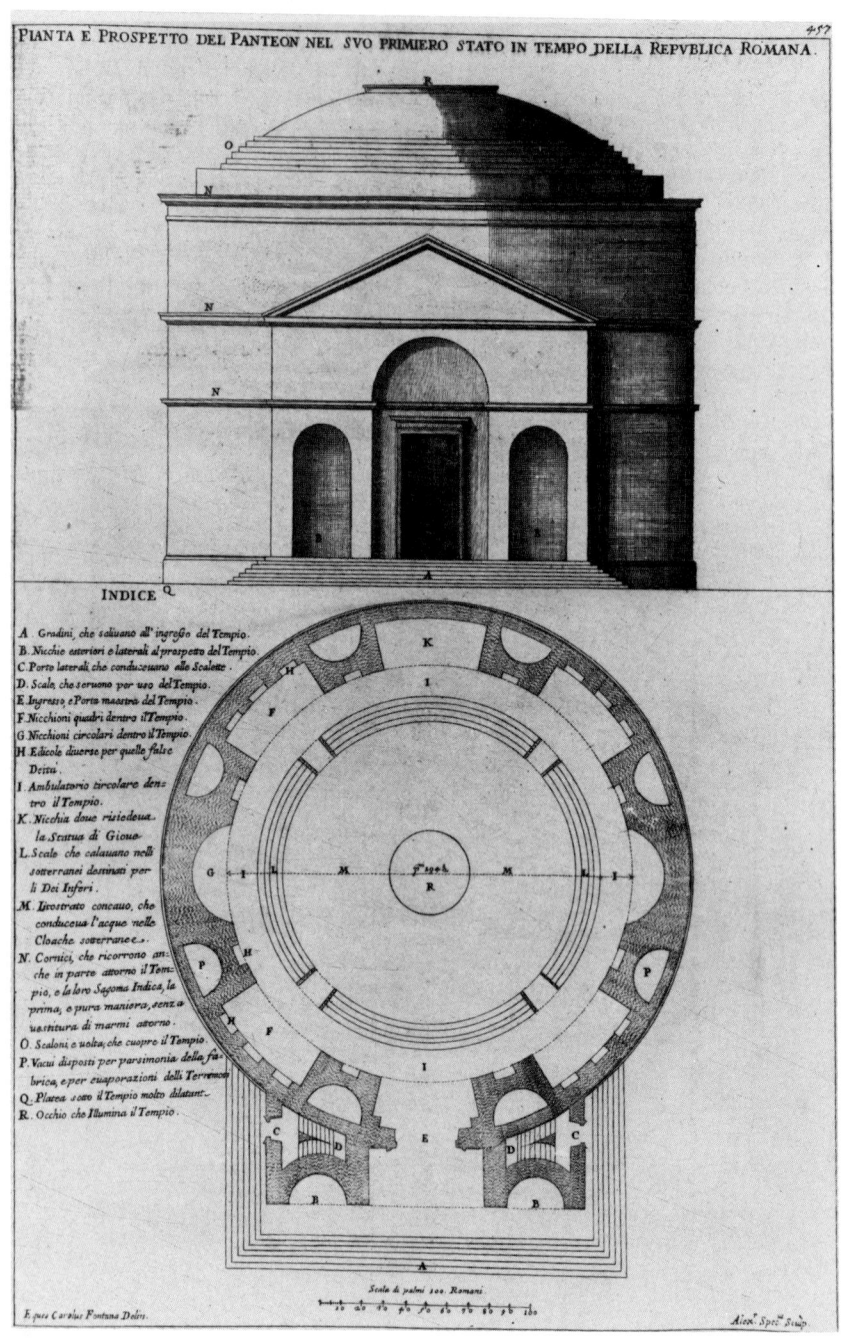

2. Plan und Projekt des Pantheon aus republikanischer Zeit (C. Fontana, Rom, 1694).

Wie der Name Pantheon aussagt war der Tempel allen Göttern geweiht. Einer glaubwürdigen Auslegung zufolge kann der Name jedoch auch auf einen einzigen Gott zurückgeführt werden, der mit der gesamten Natur identifiziert werden muß.

Das Gebäude besteht aus einem Portikus, der Vorhalle, die über sechs Stufen erreicht wurde, einem mit Apsis versehenen Verbindungsraum und aus der großen Aula.

Die Vorhalle wird durch 16 in drei Reihen geordnete Säulen unterteilt. Acht sind aus grau-grünem, acht aus rosanem Granit. Die acht Vordersäulen bilden sieben Achsen heraus, wobei nur die mittlere dem Eingang angepaßt ist.

Wenn man sich die geometrischen Linien des Giebels der Vorhalle und des dahinterliegenden Giebels durch ein Dreieck verbunden vorstellt, ist erkennbar, daß der erste Giebel in den zweiten miteinbezogen ist. Dies bestä-

3. Eingang zum Pantheon: Original-Bronzetür aus augusteischer Zeit.

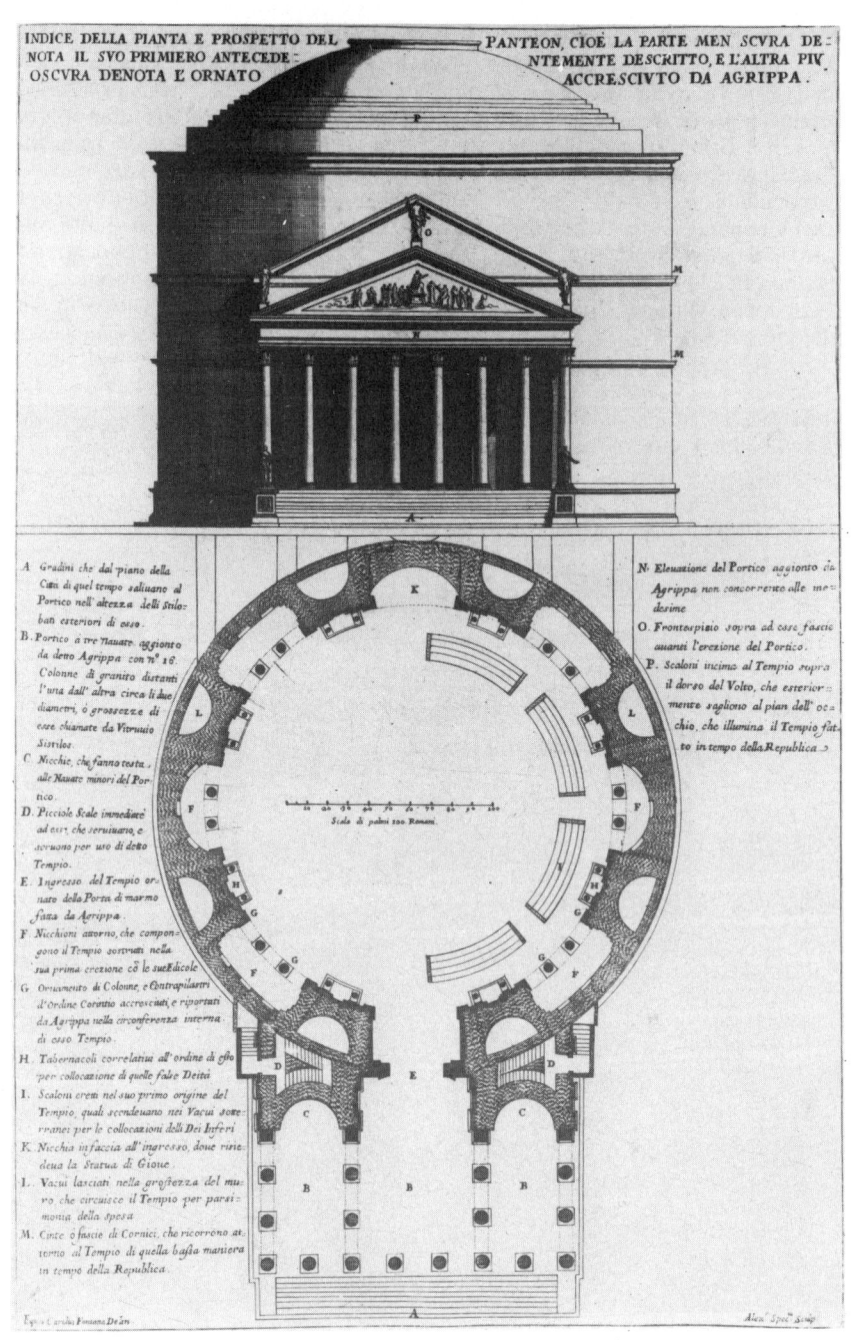

4. Plan und Projekt des Pantheon von Agrippa (C. Fontana, Rom 1694).

tigt, daß das Monument als Ganzes konzipiert worden war.
Die große Aula, die man durch die Original-Bronzetüre erreicht, hat Sphärenform, die perfekte geometrische Form, mit zwei Öffnungen in die Horizontale und in die Vertikale.
Das obere Wandgeschoß besteht aus dem halbkreisförmigen Dach mit seinen 28 in fünf Reihen gegliederten Kassetten und der Kuppelabrundung mit Lichtöffnung.
Zweigegliedert ist auch das untere Wandgeschoß: in die Attika, die ursprünglich aus 64 bunten, mit porphyrnen Wandpfeilern eingerahmten Marmorplatten bestand; und in das unterste Geschoß mit drei halkreisförmigen Nischen, dem Eingang und vier rechteckigen Öffnungen sowie acht Adikulae an den Stützpfeilern der Kuppel.
Das Sonnenlicht galt in der Antike als "der große Regler". Die Schattenbildung diente als Schattenstab oder half im Falle der Obelisken während der Tagundnachtgleiche für die Bestimmung der örtlichen Mittagslinie sowie der Einteilung des Tages. Im Pantheon dagegen wurde dieses Konzept revolutioniert. Es ist das Sonnenlicht selbst, das ins Innere projiziert, genauestens das Datum der Tagundnachtgleiche sowie die Sonnenwenden und gleichzeitig die Uhrzeit anzeigt.
Im Inneren des Tempels herrscht dort, wo der Hauptaltar steht, ständig Dunkelheit; während man am Eingang die Sonne um die Mittagszeit erblickt.

5. Rom, Pantheon.

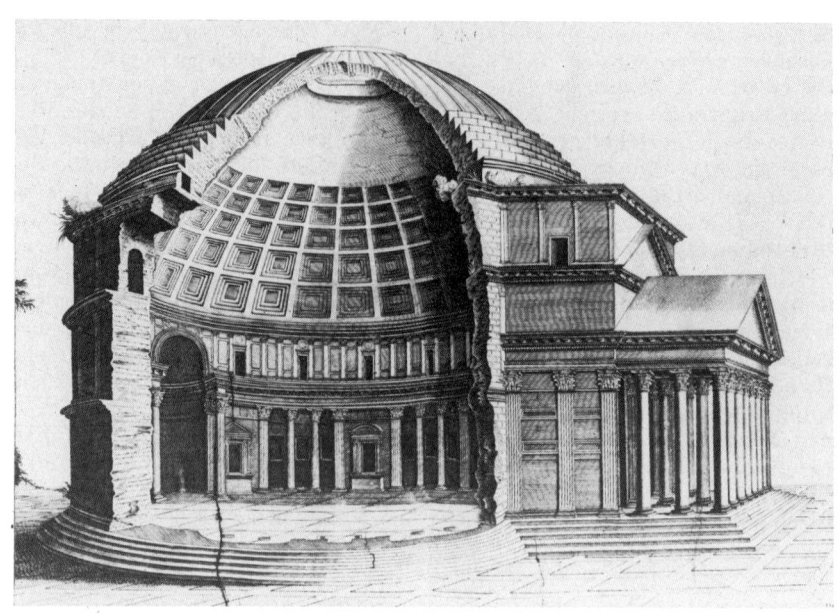

6. Schnitt des Pantheon (Blaeu, Amsterdam, 1704).

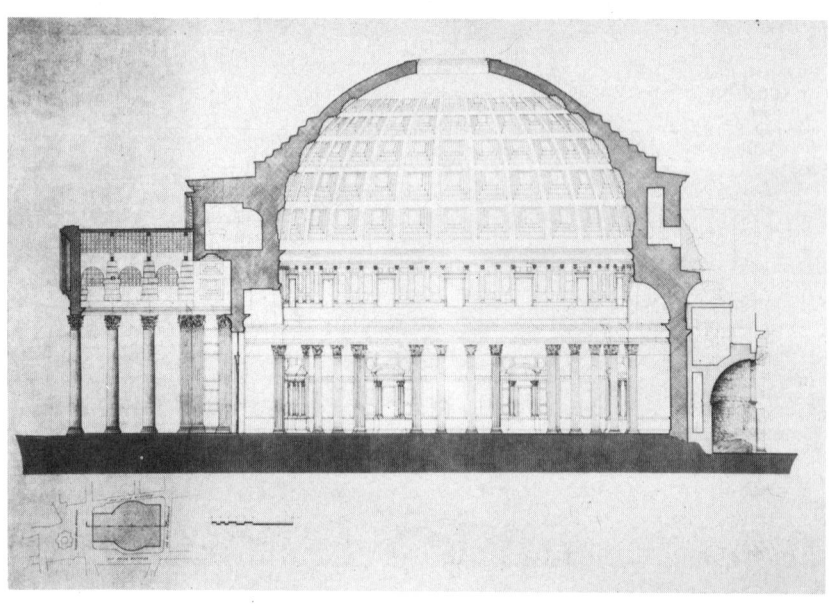

7. Querschnitt des Pantheon, Soprintendenza ai Beni Ambientali e Architettonici del Lazio.

Zwischen der Sommersonnenwende (tiefster Punkt) und der Wintersonnenwende (höchster Punkt) befindet sich zwischen der Attika und der ersten Kassettenreihe der Punkt, der die Tagundnachtgleiche zeigt. Insgesamt darf gemutmaßt werden, daß das Lichtspiel zur Festlegung des Kalenders des dreigegliederten Heiligen Jahres sowie des in vier Teile gegliederten normalen Jahres konzipiert worden war. Die Zeichen und Symbole an den Kassetten bestimmten die Jahresgliederungen.

Die so gesehene Gesamtheit folgt den Proportionsgesetzen, die im Falle des Pantheon im Verhältnis eins zu zwei stehen, die als "göttliche Proportion" für die Harmonie in der Architektur bezeichnet wurde.

BAUTECHNIK

Der gesamte Bau des Monuments zeugt von der römischen Bautechnik, die den leichtgeschwungenen Bogen bewußt benutzt wie insbesondere im Zylinder festgestellt werden kann, der die Kuppel trägt.

Gestützt wird das Ganze von einem 7,30 Meter dicken und 4,50 Merter tiefen Betonring, dem Travertinstücke und dreieckige römische Ziegelsteine beigemischt sind. Nachdem das Fundament an der Nord-Süd-Achse nachgegeben hatte, wurde es mit neuen Grundmauern und Strebepfeilern gestützt.

Travertin- und Tuffsteinschichten und mit dreieckigen Ziegelsteinen ausgelegte Wandflächen bilden den Zylinder bis zu einer Höhe von 12,50 Metern, bis zum ersten Rahmen.

In regelmäßigem Abstand von 1,20 Metern zeigen horizontal eingearbeitete Ziegelsteine, sogenannte *bipedalis*, den Arbeitsrhythmus eines Tages, nach dem jeweils die Erstarrung der Mauern abgewartet wurde. Vom ersten Rahmen bis zur Kuppel werden die Mauern abwechselnd mit Tuff - und Backsteinziegel-Fragmenten gebildet, die mit Mörtel verbunden und von Ziegelsteinen durchzogen sind.

Das halbkugelförmige Gewölbe ist bis zu einer Höhe von 11,75 Metern aus kleinen Backsteinen und römischen Ziegelsteinen in unterschiedlichen Abständen geformt.

Die darüber liegende Wölbung besteht aus Tuffstein, Backstein und quadratischen römischen Ziegelsteinen.

Bis zum Hauptring der Kuppelwölbung besteht das Mauergeschoß aus Tuffstein und vulkanischen Steinen. Das Auge mit einem Durchmesser von neun Metern wird von Ringen aus quadrati-

8. *"Kaiser Phokas schenkt Papst Bonifaz das Pantheon" ölbild ca. 1750.*

9. Das Pantheon und sein Erbauer Agrippa (F. de' Ficoroni, Rom 1744).

schen römischen Ziegelsteinen in Sturzbogenform (1,40 Meter) gebildet.
Die Kuppel ist mit dreieckigen Ziegeln im Fischgrätenmuster bedeckt und war in der Antike mit vergoldeten Bronzeziegeln ausgeschmückt

ÄNDERUNGEN UND EINGRIFFE

Im Laufe der Jarhunderte wurde die Gedenkstätte mehrfach renoviert. Septimius Severus und Caracalla 202 n. Chr. ließen es restaurieren und unter der bestehenden Inschrift folgende Erinnerungworte anbringen:
IMP. CAES. L. SEPTIMIUS SEVERUS... ET IMP. CAES. M. AURELIUS ANTONINUS... PANTHEUM VETUSTATE CORRUPTUM CUM

10. Gewölbe in Inneren.

OMNI CULTU RESTITUERUNT: (Kaiser L. Septmius Severus... und Kaiser Marc Aurel Antonino... das Pantheon, ruiniert von der Zeit, restaurtieren mit jeder Sorgfalt.) 608 n. Chr. schenkte Kaiser Phokas das Pantheon Bonifaz IV., der es als christliche Kirche allen Märtyrern weihte *(Santa Maria ad Martyres).*

Beinahe 50 Jahre später ließ Kaiser Costans II. die wertvollen Bronzedachziegeln einschmelzen; Papst Gregor III ließ das Dach 735 mit Bleifolien abdecken, so daß zwar ein Verfall des Baus abgewendet wurde, die ursprüngliche Schönheit und Wahrnehmung jedoch stark eingeschränkt wurden.

Im Mittelalter stand das Pantheon im-

11. Pantheon mit Glockenturm aus dem 13. Jahrhundert (A. Donati, Rom, 1665).

mer wieder im Mittelpunkt der Kämpfe zwischen den verschiedenen Familien.
Papst Anastasius IV: (1153-54) gab den Auftrag zum Bau eines Papstpalastes neben der Kirche, der von seinem Nachfolger Hadrian IV. (1154-59) nicht mehr als päpstliche Residenz, sondern als Haus für Kirchenherren fertiggestellt wurde. Den dort wohnenden Kirchenherren bekräftigte Calixtus III. (1455-58) den Besitz der Piazza (bis Papst Urban VIII bestätigt), der die Geistlichen zur Eintreibung von Steuereinnahmen von den Händlern berechtigte.
Urban VIII. (1623-1664) ließ 1632 die bronzenen Dachbalken der Vorhalle herausreißen und die fehlende erste Säule links des Bogenganges wieder herstellen. Zudem beauftragte er Gian Lorenzo Bernini anstatt des romanischen Glockenturms aus dem Jahr 1270 zwei Glockentürme links und rechts des zweiten Giebels zu errichten.
Alcxander VII. (1657-67) beauftragte mit der Erneuerung zwei weiterer Säulen der Vorhalle Giuseppe Paglia an, der sie mit rosanen Granitsäulen aus den Alexandrinischen Thermen ersetzte, die bei San Luigi dei Francesi gefunden worden waren.
Das Kirchenoberhaupt ließ den Platz etwas tiefer einebnen und einige Palazzi rund um die Kirche abreißen, damit Ausgrabungen neben der Vorhalle durchgeführt werden konnten.
Mit dem Ziel, die Händler aus der Vorhalle fernzuhalten, ließ er das Pantheon mit Gittern umzäunen.
Von den späteren Restaurierungsarbeiten sollten die unter Papst Innocenz XI. (1676-89) herausgestellt werden, der die Kuppelverkleidung renovieren ließ.
Klemens XI. (1700-21), gab den Auftrag

12. Ausblick auf Pantheon mit zwei Glockentürmen von Bernini (Marchi, Aquarell, Rom 1754).

zur Renovierung des Hauptaltars und der dahinterliegenden Apsis. Auf den Brunnen vor dem Pantheon wurde der Obelisk aufgestellt.

Benedikt XIV. (1740-58) entzog dem römischen Senat die Verwaltung des Monuments zugunsten der Apostolischen Paläste, Paolo Posi zierte die Attika mit 14 Scheinfenstern 1930 versetzte der Architekt Alberto Terenzio auf der Grundlage von Zeichnungen des Raffael Sanzio und des Baldassarre Peruzzi die Attika wieder weitgehend in den ursprünglichen Zustand.

In napoleonischer Zeit wollte die französische Regierung den Platz erweitern, als Pius VII (1800-23) dessen Sanierung und die Freistellung des Pantheon von den umstehenden Gebäuden bestimmte. Er ließ auch die seit 1766 aufgestellten Büsten entfernen und ordnete deren Verlegung in die von

13. Vorhalle des Pantheon. Links die drei an Stelle der zerstörten Säulen im 17. Jr. errichteten rosa Granitsäulen.

14. *Papst Bonifaz IV., Bronzebild von F. Sansone (1990).*

ihm 1820 gegründete Kapitolinische Sammlung an.

Die Freistellung des Pantheon wurde von Pius IX. 1857 und später von der italienischen Regierung weiter betrieben.

Nach dem Tod von Vittorio Emanuele II (9.1.1878) ordnete König Umberto I dessen Beisetzung im Pantheon an. Dieselbe Entscheidung traf Vittorio Emanuele III für Umberto I und seine Mutter Margherita von Savoyen.

Das Nationale Institut der Ehrengarde für die königlichen Grabstätten, das 1878 gegründet worden war, stellte die Ehrenwache.

Heute untersteht das Pantheon der Oberaufsicht für das Kulturgut Latiums und wird in regelmäßigen Abständen mit großer Sorgfalt renoviert.

Der gegenwärtige Aspekt des Gebäudes unterscheidet sich nur unwesentlich von dem der Antike. Das gilt für den

15. *Vorhalle des Pantheon mit Gitter (Rom, 1818).*

16. Platz vor dem Pantheon: Brunnen mit Obelisk.

Boden aus wertvollem Marmor (Porphyr, violett und gelbgoldenem Gestein, Granit), unter Pius IX 1873 restauriert; ebenso wie für das unterste Wandgeschoß mit den rechteckigen und halbkreisförmigen Nischen mit seinen kannelierten Säulen und Stützpfeilern, die die Kuppel tragen; für die acht Ädikulae, die dreieckigen und halbkugelförmigen Giebeln; für das mittlere Geschoß mit der Attika und ihren Scheinfenstern und Stukspiegelungen; für die Kuppel.

Im Pantheon als christlicher Kirche wurden besonders feierlich Chirsti und Maria Himmelfahrt gefeiert. Dabei wurden die Statuen Christi sowie Mariens hochgezogen, bis man sie nicht mehr sehen konnte. Zu Pfingsten dagegen streute man Rosenblätter von oben. Am vierten Sonntag nach Pfingsten segneten die Päpste goldene Rosen, die

17. Linke Seite der Vorhalle: Türe der Kongregation der Tugendhaften.

an verdientsreiche christliche Könige verschickt wurden.
Zum Fest des Heiligen Johann stellten die Künstler der Kongregation der Tugendhaften in der Vorhalle ihre Werke aus.

DIE GROßE AULA

Die heutige Ausstattung der Nischen und Kapellen wie auch die Inschriften wurden bei zahlreichen Veränderungen und Renovierungsarbeiten angebracht Die Restaurierungen, im Laufe der Jahrhunderte durchgeführt, weisen keine Kontinuierlichkeit auf.

Mehrere Inschriften, die uns in antiken Quellen überliefert werden, wurden dabei entfernt, so daß wir die ursprüngliche Widmung der einzelnen Kapellen nicht kennen.

Jüngste Studien befassen sich mit der ursprünglichen Bedeutung dieser Ka-

18. *Innenraum: Die große Aula mit Hauptaltar.*

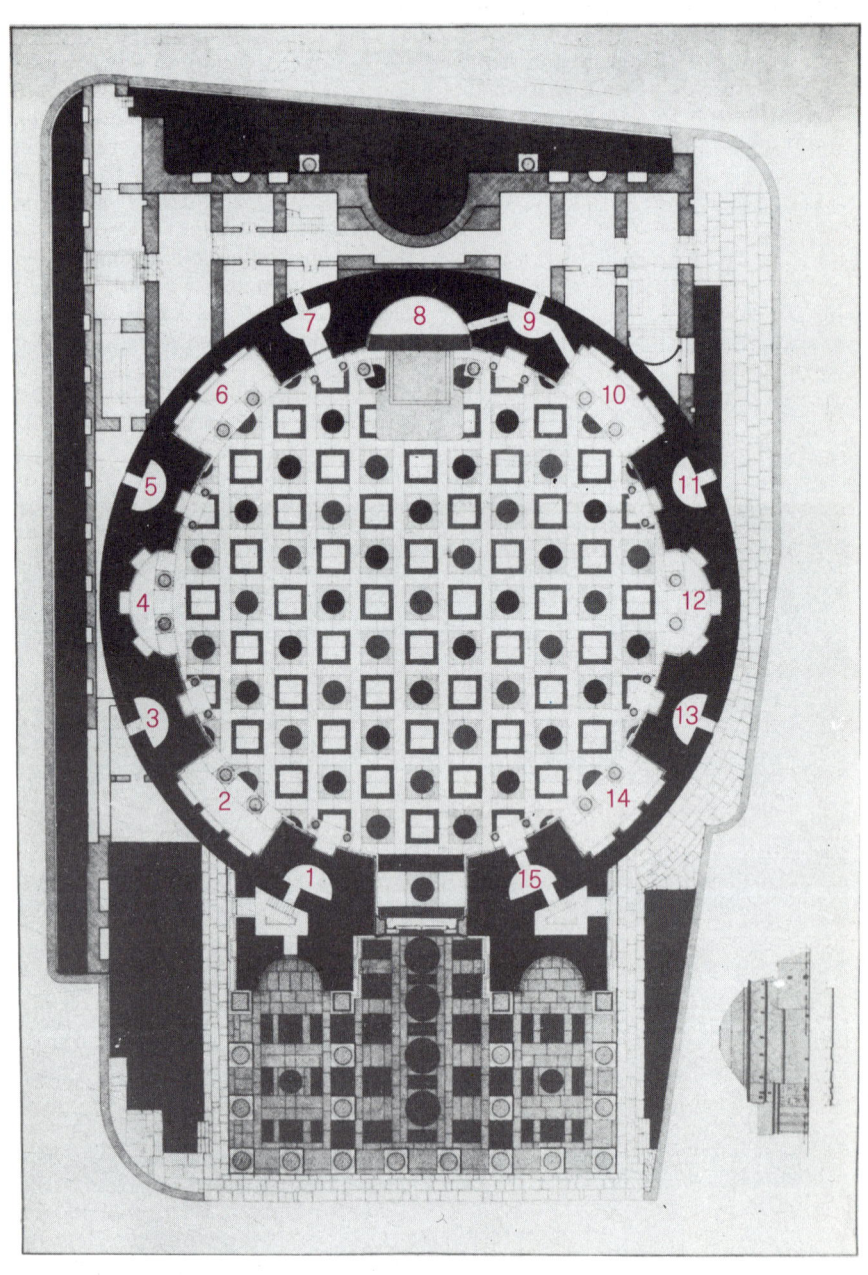

19. Plan des Pantheon.

pellen und könnten zur Voraussetzung dafür werden, das Innere des Monuments in ihren ursprünglichen Zustand zurückzuführen.

In den derzeit leeren Nischen neben den Kapellen befanden sich die Büsten Tugendhafter Persönlichkeiten, die Papst Pius VII entfernen ließ.

Rundgang im Uhrzeigersinn:

1) Erste Ädikula links: **Himmelfahrt** von Andrea Camassei, Leinwandgemälde aus dem Jahr 1638.

2) Erste Kapelle links: die Kapelle der Tugendhaften. Sie wurde vom Geistlichen Desiderio da Segni gestaltet, dem nach einer Pilgerreise in Palästina das Kirchenkapitel den Raum übergab, der bis dahin leer stand. Nach der Renovierung widmete er ihn dem Hl. Josef und ließ in den Boden eine Kassette mit Erde einbauen, die er von seiner Reise mitgebracht hatte. Zur Sicherung des Kults in der Kapelle gründete er eine Vereinigung, die von Paul II 1543 in eine Bruderschaft umgebildet wurde.

Antonio da Sangallo der Junge, Jacopo Meneghino, Giovanni Mangone, Taddeo Zuccari, Domenico Beccafumi, Flaminio Vacca - waren unter den ersten Mitgliedern der Brudershaft, der Maler, Bildhauer und Architekten angehörten. Später traten ihr Caravaggio, Gian Lorenzo Bernini, Pietro da Cortona, Alessandro Algardi, Claude Lorrain, Vignola, Maderno, Vanvitelli, Valadier, Canina, Batoni, Canova, Camuccini und viele andere bedeutende Künstler bei.

Die Institution besteht heute in der Päpstlichen Akademie der Schönen Künste fort mit Sitz im Palazzo della Cancelleria.

Auf dem Altar der mit künstlichem Marmor verkleideten Kapelle:
Hl. Josef und Jesuskind, Skulptur von Vincenzo De Rossi (1525-87), daneben zwei Bilder von Francesco Cozza (auch er ein tugendhafter): die **Anbetung der Hirten** (links) und die **Anbetung der Könige** (rechts), aus dem Jahr 1661.

Auf den Seitenwänden stellen zwei Stukreliefs den **Traum des Hl. Josef** (von Paolo Benaglia, links) und die **Rast nach der Flucht nach Ägypten** (Carlo Monaldi rechts) dar.

Im Kuppelgewölbe Bilder aus dem 17. Jh. (von links nach rechts).

Die **Sybille von Cumä** von Ludovico Gemignani; **Moses** von Francesco Rosa, der **Ewige Vater** von Giovanni Peruzzini; **David** von Luigi Garzi; die **Erythräische Sybille** von Giovanni Andrea Carloni.

In der Kapelle sind auch zahlreiche Widmungsschriften in Erinnerung an die Tugendhaften zu sehen.

3) Zweite Ädikula: **Hl. Agnes**, Skulptur von Vincenzo Felici, der um die Jahrhundertwende vom 17. bis zum 18. Jh. in Rom tätig war. Links die Büste von Baldassare Peruzzi nach einem Gipskunstwerk von Giovanni Dupré und Widmungsinschrift des Künstlers.

4) Zweite Kapelle

20. Innenraum: Die erste Ädikula und Kapelle der Tugendhaften.

21. Innenraum: Zweite Ädikula, Büste von Baldassare Peruzzi; Statue der Hl. Agnes (V. Felici, 17. Jh.).

Dieser dem Erzengel Michael und später dem Hl. Thomas gewidmete Raum wurde von Giuseppe Sacconi zur Begräbnisstätte für den italienischen König Umberto I, und Margherita von Savoyen umgewidmet. Als Vorlage nahm Sacconi das bestehende Projekt für das Monument des Vittorio Emanuele II. Nach dem Tod des Architekten Sacconi führte sein Schüler Guido Cirilli die Arbeit zu Ende.

Das Grabmal mit bronzegerahmter Alabasterplatte und Fries mit allegorischer Darstellung der **Gutherzigkeit** von Eugenio Maccagnani und der **Großzügigkeit** von Arnaldo Zocchi. Davor ein Porphyr-Altar mit den königlichen Insignien von Guido Cirilli.

5) Dritte Ädikula:
Madonna del Sasso, eine 1523-24 gemeißelte Skulptur des Lorenzetto. Raffaello Sanzio selbst hatte Lorenzetto für die von ihm gewählte Grabstätte mit der Herstellung der Skulptur beauftragt 1833 wurde das Grabmal geöffnet und überprüft, ob tatsächlich Raffaello Sanzio dort begraben sei. Bei dieser Gelegenheit wurden die Gebeine des Raffael in einen Marmorsarkophag aus römischer Epoche gelegt, eine Stiftung von Papst Gregor XVI Darauf wurde das Distichon eingraviert, das der berühmte Humanist und Kardinal, Pietro Bembo, diktierte:
ILLE HIC EST RAPHAEL TIMUIT QUO SOSPITE VINCI / RERUM MAGNA PARENS ET MORIENTE MORI.
(Hier liegt Raffael, von dem im Leben die große Mutter aller Dinge [Natur] fürchtete, besiegt zu werden und während er starb, auch sie zu sterben)
Antonio Munoz gab 1811 dem Grabmal die endgültige Gestaltung.
Die Büste des Künstlers, links in der Ädikula, stammt von Giuseppe Fabris (1833). Rechts zwei Grabplatten: eine in Erinnerung an Maria Bibiena, die andere an Annibale Carracci, mit Inschrift von Carlo Maratta.

6) Dritte Kapelle, der Kreuzigung:
Mit originalen Mauern aus römischen Ziegelsteinen und drei Nischen:
Kreuzigung aus Holz aus dem 15. Jh.
Links der Heilige Geist von Pietro Labruzi (1790).
Rechts: **Kardinal Consalvi präsentiert Pius VII die fünf Provinzen des Heiligen Stuhls**, Basrelief aus Marmor des Bildhauers Bertel Thorwaldsen,

22. Innenraum: Grab von Umberto I und Margherita von Savoyen.

23. Innenraum: Dritte Ädikula, Grab des Raffael.

24. Innenraum: Kapelle des Kreuzes: Büste von Kardinal Consalvi (B. Thorwaldsen, 1824).

25. Innenraum: Kapelle des Kreuzes: Holzkreuz aus dem 15. Jh..

In der Apsis war früher ein **Gloria für alle Heiligen** zu sehen von Giovanni Guerra aus dem Jahr 1544 sowie eine Fliese mit der **Heligen Jungfrau**, eine Nachbildung der Wachsmalerei der **Madonna von San Luca**. Sie wurde im Tempel angebracht, als er der Heiligen Jungfrau gewidmet wurde. Das Original der Ikone befindet sich in der Kapelle der Kanoniker.

Das goldene Mosaik im Hintergrund der Apsis stammt aus der Zeit Papst Albanis. Auf den beiden Säulen, die die Apsis begrezen, ist das Wappen dieses Kirchenoberhauptes zu sehen.

26. Innenraum: Dritte Ädikula, die "Madonna del Sasso", Statue von Lorenzo Lotti, gennant Lorenzetto (1524).

(1824) und Büste des Kardinals Agostino Rivarola.
7) Vierte Ädikula: **Hl. Anastasio**, Skulptur von Francesco Moderati (1717).
8) Vierte Kapelle: Der Hauptaltar wurde von Alessandro Specchi entworfen (der auch das Kreuz und den bronzenen Kerzenständer entwarf) im Auftrag von Klemens XI.. Zuvor war an dieser Stelle ein mittelalterlicher Tabernakel mit Porphyr-Säulen situiert sowie ein Chorraum.

27. Innenraum: Kapelle der Kanoniker: "Madonna von San Luca", Bild aus dem 16. Jh..

28. Innenraum: Haptaltar und benachbarte Ädikulae.

Der Holzchor wurde nach einem Plan von Luigi Poletti 1840 verwirklicht.
9) Fünfte Ädikula: **Hl. Rasio**, Skulptur von Bernardino Cametti, (1725).
10) Fünfte Kapelle: auf dem Altar: **Madonna der Barmherzigkeit zwischen dem Hl. Franziskus und Hl. Johannes dem Täufer**, Tafelbild der Schule Umbriens und Latiums aus dem 15. Jh.. Das Werk, das ursprünglich die linke Nische der Vorhalle schmückte und durch ein Gitter geschützt war (daher die Bezeichnung Madonna des Gitters), wurde später in die Kapelle der Verkündigung gbebracht und erst nach 1837 an seinen derzeitigen Platz.
Linke Wand: die bronzene Inschrift erinnert an die Erneuerung des Altars durch Klemens XI..
Rechte Wand: **Kaiser Phokas schenkt das Pantheon Papst Bonifaz IV.**, Malerei aus dem Jahr 1750. Auf dem

29. Innenraum: Sechste Ädikula: "Hl. Anna und Jungfrau", Statue von Lorenzo Ottoni, genannt Lorenzone (1648-1736).

30. Innenraum: Fünfte Kapelle: "Barmherzige Madonna zwischen dem Hl. Franziskus und Hl. Johannes dem Täufer" (16. Jh.).

31. Innenraum: Grabmal von Vittorio Emanuele II.

Boden drei Tafeln: die des Marco Tebaldi (+1414), des Rechtsgelehrten Paolo Pino Scocciapile (15. Jh. auch im Boden des Säulengangs) und zuletzt die der Gismonda (1476).

11) Sechste Ädikula: **Hl. Anna und Jungfrau**, Skulptur von Lorenzo Ottoni, genannt Lorenzone (1648-1736).

12) Sechste Kapelle, des Heiligen Geistes: Auch diese Kapelle wurde umgebaut, als dort die Grabstätte für Vittorio Emanuele II, eingerichtet wurde. Dafür wurde eine Ausschreibung veranstaltet, die der Architekt Manfredo Manfredi für sich entschied. Sein Plan wurd am 21. Mai 1885 akzeptiert.

Eine große Bronzetafel mit Widmungsinschrift für Vittorio Emanuele II., für den Vater des Vaterlandes, ist von einem bronzenen römischen Adler beherscht. Unter der Grabplatte das Wappenschild der Familie Savoyen auf zwei Palmenblättern.

Die Marmorverkleidung der Nische ist eine Arbeit von Francesco Prosperi und Francesco Benni, die Skulpturen schuf Aldolfo Laurenti.

Die godene Lampe über der Grabstätte brennt zu Ehren von Vittorio Emanuele III., der 1947 im Exil in Alexandrien starb.

13) Siebte Ädikula: **Krönung der Jungfrau:** Freskomalerei toskanischer Schule aus dem 15. Jh..

32. Innenraum: Siebte Kapelle: "Verkündigung", Fresko von Melozzo da Forlì (15. Jh.).

33. Pantheon, Innenraum. Decke der siebten Kapelle (17. Jh.).

14) Siebte Kapelle: Hier befand sich das Taufbecken (die Kirche war Pfarrkirche vom 10. Jh. bis 1824).
Die Wandmalerei zeigt die Verkündigung (Fresko von Melozzo da Forli).
Links: **Hl. Lorenz und Hl. Agnes**, gemalt zwischen 1645 und 1650 von Clemente Maioli. Rechts: **Ungläubigkeit des Hl. Thomas** von Pietro Paolo Bonzi, genannt Gobbo dei Carracci (1633). Auf den Seitenwänden vier Bronzebüsten; der Geistliche Zuccarino (+ 1662), der Theologe und Philosoph Baldario (+ 1765) links und Giacomo Gamba (Nuntius in Spanien) sowie G. Albano Ghiberti (Leibarzt von Leopold I:) rechts Die zwei marmornen Engel stiftete 1696 Kardinal B. Tomasi den Tugendhaften, die sie dem Domkapitel schenkten.
15) Achte Ädikula: **Die Madonna della Cintola und Hl. Nicola aus Bari**, (1686).
Nach dem Konkordat zwischen dem Heiligen Stuhl und dem italienischen Staat im Jahr 1929 wird das Pantheon

34. Innenraum: Achte Ädikula: "Madonna della Cintola und. Hl. Nicola von Bari", Ölbild aus dem Jahr 1686.

35. Innenraum: Siebte Ädikula: "Krönung der Jungfrau" Bild aus dem 16. Jh..

Kirche vom "Militärbischof des italienischen Staates, dem die Seelsorger des Militärhospitals unterstehen" (Artikel 28, G) und erhielt dadurch ähnliche Privilegien wie die Palatinischen Kapellen.

BIBLIOGRAPHIE

Bartoccetti Vittorio, *Santa Maria ad martyres (Pantheon)* (le chiese di Roma illustrate, 47) Roma, 1960.

Beltrami Luca, *Il Pantheon rivendicato di Adriano*, Milano, 1929.

Borsi Franco, Buscioni M.C., *Manfredo Manfredi e il classicismo della nuova Italia*, Milano, 1983.

Cerasoli Francesco, *I restauri del Pantheon dal sec. XV al sec. XVIII*, "Bull. Com.", pp. 280-289.

Choisy Auguste, *L'art de batir chez les Romains*, Parigi, 1873, ed it., Bologna, 1969.

Coarelli Filippo, *Il Pantheon, l'apoteosi di Augusto e l'apoteosi di Romolo*, "Analecta Romana Istituti Danici", suppl. X, 1983, pp. 41-46.

Colini Antonio Maria - Gismondi Italo, *Contributi allo studio del Pantheon, La parete frontale dell'avancorpo e la data del portico*, "Bull. Com.", 44, 1926, pp. 67 sg.

De Fine Licht K., *The Rutunda in Rome*, Copenaghen, 1968.

Eroli Giovanni, *Raccolta generale delle iscrizioni pagane e cristiane esistite ed esistenti nel Pantheon di Roma*, Narni, 1895, con amplissima bibliografia.

Fea Carlo, *Conclusione per l'integrità del Pantheon di M. Agrippa, ora S. Maria ad Martyres...* Roma, 1807.

Fea Carlo, *L'integrità del Pantheon rivendicata a M. Agrippa*, Roma, 1820.

Forcella Vincenzo, *Iscrizioni delle Chiese e d'altri edifici di Roma dal secolo XI fino ai giorni nostri*, Roma, 1869, I pp. 287-310.

Geymuller Henry, *Documents inédits sur les Termes d'Agrippa et le Pantheon*, Lausanna, 1881.

Giovannoni Gustavo, *Contributi allo studio delle tecniche delle costruzioni romane*, "Atti del II Congresso nazionale di studi romani", Roma, 1931.

Giovannoni Gustavo, *La cupola di S. Costanza e le volte romane a struttura leggera*, "Atti del IV congresso nazionale di studi romani", Roma, 1938.

Giovannoni Gustavo, *La tecnica delle costruzioni presso i Romani*, N. E., Roma, 1872.

Giovannoni Gustavo, *Tipi di volte romane*, "Roma", 9/12, 1943.

Hirt Luigi, *Osservazioni istorico-architettoniche sopra il Pantheon*, Roma, 1791.

Hulsen Christian, *Die Thermen des Agrippa*, Roma, 1910.

Lanciani Rodolfo, *Del Pantheon*, "Notizie Scavi", 1881, p. 257 sgg., 1882, p. 340 sg., con la bibliografia fino al 1880.

Lo Bianco Anna, *I dipinti sei-settecenteschi degli altari del Pantheon: Bonzi, Camasei, Maioli, Labruzzi*, "Bollettino d'arte", 42, 1987, 2 pp. 91-116.

Lugli Giuseppe, *Il Pantheon e i monumenti adiacenti*, Roma, 1962.

Lugli Giuseppe, *La tecnica edilizia romana con particolare riguardo a Roma ed il Lazio*, Roma, 1957.

Marta Roberto, *Tecnica costruttiva romana*, Roma, 1986.

Montini Renzo Umberto, *Tombe dei sovrani in Roma*, Roma, 1957, pp. 31-37.

Nash E., *Pictorial Dictionary of ancient Rome*, London, 1968, II pp. 170-175.